HANABI OZORA

LA FORTE TÊTE (ET HÉROÏNE ?) DE L'ANCIEN LYCÉE
OTOMÉ. ELLE DÉTESTE LES COUPS FOURRÉS, L'HYPO-
CRISIE, ET SE COMPORTE PARFOIS COMME UN VRAI
PTIT MEC. DOUÉE POUR LE SPORT ET ÉGALEMENT
POUR LA BASTON, ELLE QUI RÊVE D'AVOIR DE LONGS
CHEVEUX LISSES NE POSSÈDE QU'UN SEUL POINT
FAIBLE : SA TOUFFE DE CHEVEUX TOUJOURS EN PÉTARD

PERSONNAGES

TAKERU SUNO

AMI D'ENFANCE DE HANABI, IL REVIENT
DU DANEMARK APRÈS DIX ANS D'ABSENCE.
IL SE PRÉSENTE COMME « L'HOMME QUI
A FAIT GRANDIR HANABI ». C'EST UN GARÇON
PROVOCANT ET PLUTÔT ENTREPRENANT, ET
IL EST AUSSI BEAU GOSSE QUE YASUAKI

H³ SCHOOL!

5

YASUAKI GARAKU

LE VICE-PRÉSIDENT DE L'ASSOCIATION DES ÉLÈVES DE MEÏBI. IL EST TRÈS COOL MAIS IL N'APPRÉCIE PAS LES FILLES, MALGRÉ SON SUCCÈS INCONTESTABLE AUPRÈS D'ELLES

YOSHITOMO KUON

LE PRÉSIDENT DE L'ASSOCIATION DES ÉLÈVES DE MEÏBI. UN ÉLÈVE BRILLANT, DONT LE PÈRE EST LE DIRECTEUR D'UNE ÉCOLE D'ART FLORAL. MAIS PERSONNE NE SAIT QUI SE CACHE VRAIMENT DERRIÈRE SON VISAGE ANGÉLIQUE...

TOKIHISA AÏDO

IL DIT LUI-MÊME ÊTRE LE NUMÉRO 2 DE MEÏBI. LE NUMÉRO I EST SON AMI D'ENFANCE YASUAKI QUI EST SON ÉTERNEL RIVAL. TOKIHISA EST AMOUREUX DE HANABI, MAIS C'EST À SENS UNIQUE...

L'HISTOIRE

LA JEUNE HANABI FRÉQUENTE LE LYCÉE OTOME, UN LYCÉE DE JEUNES FILLES, QUI A FUSIONNÉ AVEC LE PRESTIGIEUX LYCÉE DE GARÇONS MEÏBI. AU NOM DE TOUTES LES FILLES DE SON LYCÉE, ELLE EST ÉLUE MEMBRE DE L'ASSOCIATION DES ÉLÈVES DE CE NOUVEL ÉTABLISSEMENT. ELLE FAIT AINSI LA CONNAISSANCE DES TROIS BEAUX GOSSES QUI REPRÉSENTENT LES GARÇONS DANS L'ASSO-CIATION... PARMI EUX, YASUAKI, UN JEUNE HOMME UN PEU FROID MAIS QUI A BON CŒUR ! HANABI ET LUI TOMBENT AMOUREUX ET SORTENT ENSEMBLE. MAIS C'EST ALORS QUE TAKERU, L'AMI D'ENFANCE DE HANABI, SURGIT TOUT D'UN COUP DE NULLE PART, ET SE POSE EN RIVAL DE YASUAKI ! NOTRE HÉROÏNE MANQUE DE TOMBER AMOUREUSE DE TAKERU, MAIS AUJOURD'HUI CELUI QU'ELLE AIME, C'EST YASUAKI ♡ . LES DEUX JEUNES GENS SONT SÛRS DE LEURS SENTIMENTS AMOUREUX... S'ARRÊTERONT-ILS AU SIMPLE BAISER ?

6

D'APRÈS CE QUE TU DIS, CES PERVERS SE FONT DÉPOUILLER DANS L'ENCEINTE DU LYCÉE ?

IL N'Y A QU'UNE SEULE ÉLÈVE QUI POURRAIT FAIRE UN TEL TRUC...

QUOI ?

ÇA NE NOUS REGARDE PAS, DANS CE CAS

OUAIS, ET LES MECS SONT DE VRAIS VICIEUX, ALORS ILS VONT PAS PORTER PLAINTE À LA POLICE

?

INNOCENTE

MAIS SI. APPAREMMENT, LES AGRESSEURS SONT DES FILLES DE MEÏBI

12

HANABI

COUCOU

1 - B

FERME LE RIDEAU

QUELQU'UN SURVEILLE LE COULOIR, D'AC ?

ET ALORS ?

MAIS ILS VONT FAIRE DES RECHERCHES DÈS MAINTENANT

MAIS PAS DE SOUCI ! POUR L'INSTANT, PERSONNE NE SAIT QUE C'EST NOUS

YASU A APPRIS QUE C'EST PEUT-ÊTRE DES FILLES DE MEÏBI LES COUPABLES

QU'EST-CE QUE TU RACONTES ! ON VIENT DE COMMENCER

FAUDRAIT PEUT-ÊTRE ARRÊTER ?

!!

S'IL Y A UN PROBLÈME, ENVOYEZ « SOS JEUNE FILLE » PAR SMS

BON, ON VA PATROUILLER EN SE DIVISANT EN DEUX GROUPES

DING DANG DONG

WO HO !

AAH !

VRRT

HANABI

KOF

EUH...

OUI...

QU'EST-CE QUI SE PASSE ?! C'EST RARE QUE TU VIENNES DANS LA CLASSE DES FILLES...

YASU ?!

LÀ, JE NE SUIS PAS ENCORE GUÉRIE

TU M'AS DIT QU'EN CE MOMENT TU POUVAIS PAS SURFER À CAUSE DE TON RHUME, PAS VRAI ?

QUOI ?
TU ME CACHES
QUELQUE CHOSE
?

IL ME
FAIT
FONDRE
...!

ALLEZ,
DIS-MOI. ON
S'EST PROMIS
DE RIEN SE
CACHER.

Vas-y !

JE NE
PEUX
PLUS
LUI
MENTIR
(!)

OH !
NE ME
REGARDE
PAS AVEC
UN TEL
SOURIRE

EH
BIEN...

DIS-MOI

SLc

NON, NON, FAUT PAS CRACHER LE MORCEAU !

IL EST TROP CRAQUANT, J'AI FAILLI PARLER

SOS JEUNE FILLE ! (>_<)

LE SIGNAL D'URGENCE

HANABI, PARLE-MOI SINCÈREMENT !

HEIN ?

EXCUSE-MOI, JE PEUX PAS MANGER, JE VAIS RENTRER

DÉSOLÉE, MAIS MA FIÈVRE EST REMONTÉE...

!

MESSAGE

COMME J'AVAIS FINI DE DESSINER H3 SCHOOL AINSI QU'UNE HISTOIRE COURTE JUSTE APRÈS, J'AI FAIT LE GRAND MÉNAGE DE FIN D'ANNÉE CHEZ MOI. MAIS CE QUI ME GÊNE, C'EST LES DOCUMENTS. ILS ME FONT PENSER QU'UN JOUR, J'AURAI L'OCCASION DE M'EN SERVIR SI JE LES GARDE, ET DONC ILS S'AMONCELLENT ET ILS M'EMPÊCHENT DE FAIRE LE MÉNAGE. ET LES LIVRES DE LOISIRS, C'EST LA MÊME CHOSE. AÏE AÏE AÏE !
MAIS JE VOULAIS QUE TOUT SOIT NICKEL DANS MON SALON PENDANT LE RÉVEILLON POUR REGARDER L'ÉMISSION « K-1 DYNAMITE » À LA TÉLÉ, ALORS J'AI TOUT RANGÉ EN DEUX SEMAINES. ÇA FAISAIT DU BIEN !
EN PLUS, J'AVAIS ASSEZ DE TEMPS POUR PRÉPARER LE REPAS DU NOUVEL AN, LE K-1 QUE J'ATTENDAIS M'A FAIT PLAISIR, ET LA FIN DE L'ANNÉE 2004 S'EST VRAIMENT BIEN PASSÉE.

'URG !

PAF

SHUUP

ET VOILAAÀAA !

WO HOOOO !

... C'EST QUAND MÊME INTERMINABLE

MAIS JE PENSE QUE MÊME SI ON CHÂTIE CE GENRE DE PERVERS UN PAR UN...

bla   bla

EH OUI !

BIEN JOUÉ, HANABI

HÉ !

TA TA

Ah ! oh !

ALLEZ, VITE !!

TCHIK! TICHIK! TCHIK! TCHIK!

WO HO !

WO HO !

WO HO !

EUH...

QUOI ? C'EST POUR ÇA QUE TU M'AS INVITÉE... ? ALORS, T'AS ÉTÉ GENTIL AVEC MOI SEULEMENT POUR ME FAIRE PARLER ?! C'EST HONTEUX !

MAIS JE VOULAIS QUE TU ME DISES LA VÉRITÉ AU RESTO HIER

COMMENT TU M'AS RECONNUE... ?

PARCE QUE TU SENTAIS LA PEINTURE

JE LE SAVAIS DEPUIS LE DÉBUT

36

JE NE SAIS PAS CE QUI T'EST ARRIVÉ, MAIS JE VAIS LE GRONDER

Pffff

... IL A POUFFÉ DE RIRE !!

C'ÉTAIT HIER...

YASU M'A TROP ÉNERVÉE

J'AVAIS ACHETÉ DE LA LINGERIE SEXY...

... ET JE L'AI MISE DEVANT LUI. ET ALORS...

DJINGG

J'suis trop blessée

QUAND VOUS ÉTIEZ À L'ÉCOLE MATERNELLE, C'EST TOI QUI AS ÉTÉ À L'ORIGINE DE SA PHOBIE DES FILLES...

MAIS EN FAIT, C'EST TA FAUTE, HEIN !

VENGEANCE !

ÇA ME RAPPELLE LES POM-POM GIRLS, C'EST MIGNON

...

ROUGE

?

C'EST PAS POSSIBLE D'ÊTRE EN RETARD LE PREMIER JOUR !

TE VOILÀ ENFIN, HANABI

BLA

BLA

BLA

BLA

BLA

QU'EST-CE QU'IL Y A, HANABI ?

EN FAIT, J'AI...

...

OOOOOHH

ET MAINTENANT, JE VOUS PRÉSENTE NOTRE VICE-PRÉSIDENT QUI VA VOUS FAIRE UN PETIT SPEECH...

VRRRFF

OUAF !

AAHH...

C'EST LUI...

T'ES STUPIDE OU QUOI ! NOTRE LYCÉE A FUSIONNE AVEC MEÏBI, ET TU NE LE CONNAIS PAS ?!

IL S'APPELLE GARAKU ?!

C'EST PAS VRAI ?! TU AS RENCONTRÉ YASUAKI GARAKU ?!

46

OOOHH

OOOHH

OOOHH

FRSSHH...

MAIS JE
SUIS SÛRE
QUE C'EST
LE DESTIN
QUI NOUS
A RÉUNIS

Yasuhiii!!

Oh non !
Moi aussi!!

Tji!

TCHOUP

TAP TAP TAP

!

ooohh

Ha ha ha

Ha ha ha

CRR

MINCE !
IL VIENT
VERS MOI...

DÉSOLÉ, MAIS
À PARTIR D'ICI,
C'EST ENTRÉE
INTERDITE POUR
TOUT LE MONDE

Noooooon...

AAA-
AH...

ALLEZ, ARRÊTE AVEC CE GENRE DE TRUC

HEIN ?

ET PAS POUR UNE SEULE EN PARTICULIER

JE SUIS DISPONIBLE POUR TOUTES LES FILLES

QU'EST-CE QUE TU VEUX DIRE... ?

MAIS T'ES PAS LA SEULE DANS CE CAS

TOUT À L'HEURE, TU M'AS DEMANDÉ D'ÊTRE À TOI...

MAIS C'EST PAS VRAI...

OUAIS

JE VEUX PAS, JE VEUX PAAAAAAS !!

HÉ, HO ! HANABI

CLAP

T'ES REVENUE AVEC MOI ?

YASU...

INNOCENTE

...

POUR LA PRÉPARATION DE LA FÊTE DU LYCÉE...

... L'ASSOCIATION DES ÉLÈVES S'EST MISE EN BRANLE

AÏDO : IL EST RESPONSABLE DU COLLAGE DES AFFICHES

YASU : IL A MIS DE CÔTÉ LE SURF...

... ET IL DISCUTE AVEC LES PROFESSEURS QUI S'OCCUPENT DE CHAQUE MANIFESTATION

KUON : IL DIRIGE L'EMPLOI DU TEMPS

C'EST VRAI QUE JE SUIS TRÈS OCCUPÉE, MAIS COMME JE LE FAIS AVEC YASU, JE SUIS CONTENTE ♡

ET MOI : POUR PRÉPARER LE NÉCESSAIRE POUR LE FESTIVAL

JE PASSE LES COMMANDES AUPRÈS DES MAGASINS DE LOCATION

... UNE MACHINE À BARBE À PAPA, ET...

LE THÈME DE LA FÊTE EST « LE PAYS DES MER-VEILLES »

COMME ÇA, LE LYCÉE DE MEÏBI LE DEVIENDRA AUSSI

ET POUR QUE TOUT LE MONDE PUISSE S'AMUSER, L'ASSOCIATION DES ÉLÈVES DOIT BIEN TOUT PRÉPARER

LE CLUB DES BEAUX-ARTS M'A DIT QU'ILS N'ONT PAS ENCORE FINI DE LES DESSINER

MAIS IL FAUDRAIT ATTENDRE L'AFFICHE DE LA FÊTE ET CELLE DE « MISS & MR MEÏBI » JUSQU'À LA SEMAINE PROCHAINE

AH !

... NOTRE PLANNING DOIT ÊTRE TERMINE AVANT CE WEEK-END

ALORS, POUR QUE CHAQUE CLASSE PUISSE COMMENCER LA PRÉPARATION À PARTIR DE LA SEMAINE PROCHAINE...

La fête de Méïbi

C'EST QUOI, ÇA ?

MISS & MR MEÏBI ?!

L'ASSOCIATION DES ÉLÈVES N'Y PARTICIPE PAS DIRECTEMENT, ALORS J'AVAIS COMPLÈTEMENT OUBLIÉ

AH OUI !

MISS & MR MEÏBI

Oui, oui, maintenant je me souviens

Félicitations !

L'ASSOCIATION DES ÉLÈVES S'OCCUPE DE LA PRÉSENTATION

C'EST UNE ANIMATION QUI A ÉTÉ DÉCIDÉE AVEC TOUS LES ÉLÈVES EN RÉUNION PLÉNIÈRE, Y A PAS MAL DE TEMPS

PENDANT LA FÊTE, ON ÉLIT UN GARÇON ET UNE FILLE DU LYCÉE

LE DÉBUT 2005

PETIT

BONHEUR

MON PREMIER TRAVAIL EN 2005 ÉTAIT UNE PETITE HISTOIRE POUR UN NUMÉRO SPÉCIAL QUI EST SORTI AU MOIS DE MARS. COMME J'AI RETROUVÉ UN ANCIEN MANUSCRIT (J'ÉTAIS SÛRE QUE JE L'AVAIS JETÉ ! C'EST MYSTÉRIEUX...), JE L'AI RETOUCHÉ ET FOURNI À MON ÉDITEUR. J'AI REDESSINÉ PRESQUE SANS CHANGER LE SUJET, DONC LISEZ-LE EN GARDANT À L'ESPRIT QUE C'EST UNE IDÉE D'HISTOIRE QUE J'AVAIS EUE AVANT DE PASSER PROFESSIONNELLE, ET SOYEZ INDULGENTS ! EN FAIT, EN RETROUVANT LE MANUSCRIT, J'AI BEAUCOUP RI : LE DESSIN ÉTAIT NUL ! L'HISTOIRE NON PLUS N'ÉTAIT PAS EXTRA...

MISS MEÏBI EST LA FÉE DU PAYS DES MERVEILLES

ET MR MEÏBI EST LE GARDIEN DU TEMPS

ILS JOUENT CES RÔLES EN PORTANT UNE ROBE ET UN TAILLEUR PENDANT LA FÊTE

ÇA M'AVAIT COMPLÈTEMENT ÉCHAPPÉ

MINCE !

CATALOGUE LOCATION DE COSTUMES

TIENS, CETTE ROBE ET CE TAILLEUR, IL FAUT LES LOUER, NON ?!

Donc c'est mon travail !

MERCI QUI ?

GRÂCE AU RETARD DE L'AFFICHE, J'AI ENCORE LE TEMPS DE M'EN OCCUPER

ELLE EST BELLE, HEIN ?!

CELLE-LÀ CONVIENDRAIT EXACTEMENT À UNE FÉE

OUAAAH...

ON DIRAIT UN COUPLE QUI CHOISIT UNE ROBE DE MARIÉE AVANT LA CÉRÉMONIE

C'EST CRAQUANT

... OUI... D'ACCORD ...

c'est pour ça que tu as dit ça...

tu m'as étonnée

LAISSE TOMBER, IL NOUS TAQUINE

C'EST VRAI ? BEN, ON N'A QU'À CONSIDÉRER ÇA COMME UNE RÉPÉTITION POUR LE MARIAGE ALORS

POUF

AH !

MAIS À QUOI JE PENSE DÉCIDÉMENT !

Ça me ressemble pas de vouloir porter une robe !

OUI, OUI

TU CHOISIS CELLE-LÀ ?

J'AI PAS LE TEMPS DE RÊVER AVEC CETTE HISTOIRE DE ROBE !

JE DOIS ME BOUGER !

JE VOUDRAIS ...

...

PORTER CETTE ROBE AVEC YASU ...

MAIS EN FAIT...

MAIS LES MEMBRES DE L'ASSOCIATION DES ÉLÈVES NE PEUVENT PAS PARTICIPER À CET ÉVÉNEMENT

C'EST UN PEU DOMMAGE QUAND MÊME...

Si je ne la porte pas avec, ça n'est pas la peine de participer.

EN PLUS, JE NE PENSE PAS QUE YASU Y ASSISTE

C'EST VRAI QUE... MÊME SI JE PARTICIPE, JE N'AI AUCUNE CERTITUDE D'ÊTRE SÉLEC- TIONNÉE COMME MISS MEÏBI

ELLE ÉTAIT VRAIMENT JOLIE, CETTE ROBE...

Gratt gratt

JE
T'AIME

...

89

ÇA ALORS...
ÇA VOUS CHANGE
COMPLÈTEMENT

ROUGE

On m'a
maquillée
aussi

PARCE QUE
TU ÉTAIS TRISTE
DE NE PAS
PARTICIPER À
L'ÉVÉNEMENT

YASU...
POURQUOI
...

J'AI COMPRIS.
C'EST TOI QUI
AS TÉLÉPHONE
AU MAGASIN
POUR UN ESSAI

ET KUON
AUSSI, IL EST
AU COURANT...

... ON JURERAIT
UN JEUNE COUPLE
QUI S'APPRÊTE À
SE MARIER

À VOUS
VOIR...

HAPPY
HUST
HIGH

TADAAAAAN ♡

C'EST JUSTE UN PETIT DISCOURS POUR L'OUVERTURE DE LA FÊTE, C'EST PAS LA PEINE D'EN FAIRE AUTANT

MAIS C'EST PAS LES SUPERSTARS DU CATCH

PROPOSITION REJETÉE

TU VOIS ? C'EST COOL, NON ?

...ET T'APPARAIS SOUS LES PROJECTEURS

Haa Haa Haa

HE ! QU'EST-CE QUE T'AS DIT ?!

J'AI DIT CHIER !

CHIER... !

D'AILLEURS, BEAUCOUP DE CHOSES SONT DE PLUS EN PLUS AVANCÉES

JE SAIS QUE MA TIGNASSE EST CELLE D'UN LION, MAIS J'AI LE CŒUR D'UN PETIT CHAT !

HÉ, FAUT PAS AVOIR HONTE ! ÇA TE RESSEMBLE PAS

FROT

FROT

FROT

FLOSH

QU'EST-CE QU'IL Y A ?

JE N'AI PAS DIT « EMBRAS-SER »

...

J'AI DIT « CHIER »

JE SAIS

107

EN FAIT... JE ME SOUVIENS PAS À QUELLE HEURE JE ME SUIS ENDORMIE

MON PÈRE RENTRE AU JAPON APRÈS-DEMAIN

?

APRÈS-DEMAIN, MOI AUSSI, J'IRAI AVEC TOI CHERCHER TON PÈRE

J'AI ENTENDU

TOUT À L'HEURE, J'AI DÛ LUI FAIRE TRÈS MAUVAISE IMPRESSION

JE DOIS LUI EXPLIQUER QUE NOTRE RELATION EST SUFFISAMMENT INTIME POUR QU'ON PASSE LA NUIT ENSEMBLE

OH... IL A QUAND MÊME UN CÔTÉ ÉLÈVE MODÈLE

SI JE NE M'EXPLIQUE PAS CLAIRE-MENT, C'EST MOI QUI NE ME SENTIRAI PAS BIEN

MAIS POUR-TANT

C'EST RIEN. C'EST PAS LA PEINE DE T'INQUIÉTER COMME ÇA

Papa n'est pas ce genre de type

MAIS...

ÇA VEUT DIRE QU'IL CONSIDÈRE SÉRIEUSEMENT NOTRE RELATION

LE SURLEN-DEMAIN

Ça faisait longtemps qu'on n'était pas sortis tous les deux

PAPA EST QUELQU'UN DE TRÈS LIBRE, JE PENSE DONC QU'IL S'ENTENDRA BIEN AVEC TOI

SALUT, HANABI

TUT TUUT

APRÈS-DEMAIN, JE PRÉSENTE MON PETIT AMI À PAPA POUR LA PREMIÈRE FOIS !

TAKERU !

OUPS !

ÇA FAIT LONGTEMPS

AH... C'est toi TAKERU

ON EST PRESSÉS. À PLUS

JE T'EMMÈNE N'IMPORTE OÙ

ON VA SE BALADER SI TU VEUX ?

JE VIENS DE PASSER MON PERMIS

MMPF

MMPF

JUSTEMENT, ON VA À L'AÉROPORT DE NARITA POUR CHERCHER MON P...

C'EST VRAI ?

JE NE VEUX PLUS DE BAGARRE, HEIN !

HÉ, HO !

AU MOINS, C'EST MIEUX QU'ÊTRE GROSSIER, NON ?

HANABIII, QU'EST-CE QUE TU AIMES CHEZ CE TYPE... ? IL EST TOUJOURS SÉRIEUX, ET IL EST MÊME PAS FUN

TU PEUX DIRE CE QUE TU VEUX, HANABI EST AVEC MOI

Désolé, 'grand frère'

AUCUNE CHANCE. JE SAIS QUE JE GAGNERAIS

Je suis gentil avec les plus faibles

JE M'EN FOUS

DZZZ DZZZ DZZZ DZZZ DZZZ

ARRIVÉE A

ATTENDS,
JE VAIS VÉRIFIER
L'HEURE DE
L'ATTERRISSAGE

*Écoutez,
c'est non !*

JE NE VOUS
DEMANDE RIEN
DE PLUS. OK ?
OK ?

MAIS,
EUH...

JUSTE
UN CAFÉ,
C'EST
TOUT

VOUS ÊTES
LOUCHE,
VOUS

Ha ha ha ha

JE VOUDRAIS
EN SAVOIR
PLUS SUR LES
LYCÉENNES
ACTUELLES

114

EXCUSEZ-...

...

CE P'TIT CON EST TON PETIT AMI ?!

Ah bon

HANABI EST DÉJA PASSÉE À LA CASSEROLE ?

ET ALORS ?

ce n'est pas un p'tit con, papa !

TROP NAZE...

T'AS VU. HA, HA, HA, HA, HA, HA, HA, HA !

OH, MONSIEUR ! VOUS AVEZ UN JUGEMENT SÛR

MAIS SI TAKERU ÉTAIT AUPRÈS DE TOI, TU AURAIS DÛ SORTIR AVEC LUI, HANABI

MOI, JE PRÉFÈRE TAKERU

TU VOIS ? JE T'AVAIS DIT QUE C'ÉTAIT PAS LA PEINE DE T'INQUIÉTER

...

AH BON ? C'EST VRAI ?!

IL EST VRAIMENT DOUÉ !

TU SAIS, YASU EST UN TRÈS BON SURFEUR

SI VOUS VOUS COMPRENEZ L'UN L'AUTRE, VOUS ALLEZ CERTAINEMENT BIEN VOUS ENTENDRE

MAIS... VOUS NE VOUS CONNAISSEZ PAS ENCORE BIEN

BRROUM

J'ai dit le mot interdit !

IL A L'AIR SÉRIEUX, MAIS C'EST UN DRAGUEUR QUI AIME LES FILLES ALORS ?!

TOUS LES SURFEURS SONT PAS DES DRAGUEURS

T'ES DEVENU FOU SUR LES CHAMPS DE BATAILLE OU QUOI !!

MAIS ÇA VA PAS !

...

PFF

ALLEZ, MONTE

TU VAS T'EN-RHUMER

ET BIEN VOILÀ, C'EST LE DERNIER TOME D'H3 SCHOOL !

ENVOYEZ-NOUS VOS COMMENTAIRES, VOS DESSINS ET MÊME VOS MESSAGES POUR L'AUTEUR, RIE TAKADA, QUE NOUS SERONS RAVIS DE LUI TRANSMETTRE !

KUROKAWA - H3 SCHOOL
12 AVENUE D'ITALIE
75627 PARIS CEDEX 13

ON DIRAIT
QUE C'ÉTAIT
UN RÊVE...

J'AI
ENFIN FAIT
L'AMOUR AVEC
YASUUU !

ZZZ

149

AAAAH !

TOP

FIIIXE

MON DIEU ! UN SIMPLE REGARD, ET ELLE S'EST ÉVANOUIE... !!

Introyable !

MEGUMIII

OOH

OOOHHH

Aargh...

Plololo

APPAREMMENT... LES FEMMES NE SONT PLUS MON CAUCHEMAR...

JE PEUX LA TOUCHER SANS PROBLÈME

J'AI L'IMPRESSION QUE MON TRAUMATISME VIS-À-VIS DES FEMMES A DISPARU

SERAIT-CE GRÂCE À HANABI ?

MAIS...

MAIS EUH...

SINCÈREMENT, JE NE PEUX PAS ÊTRE CONTENTE DE LA SITUATION... !!

ARRÊTE DE SOURIRE AUX AUTRES FILLES !

YASU EST MON PETIT AMI À MOI !

HAA

KRAAK

Oooh↓
Oooh↓

Oooh↓
Oooh↓

JE ME DEMANDE S'IL MET EN MÉMOIRE DES ADRESSES MAIL DE FILLES...

SON PORTABLE ...

J'ai failli fouiller dans son portable...

!!

AUTOCRITIQUE

JE COMMENCE À ME DÉTESTER

CES DERNIERS JOURS, JE PENSE SANS CESSE À CES BÊTISES...

161

EN FAIT

JE PENSE QUE TU VAS RIGOLER, MAIS J'AI UN RÊVE SECRET...

... ET TOUT LE MONDE NOUS FÉLICITE. VOILÀ, C'EST MON PETIT RÊVE

JE NE SUIS PAS TRÈS FÉMININE, PLUTÔT GARÇON MANQUÉ, ET PUIS J'AI UNE ÉNORME TOUFFE SUR LA TÊTE. MAIS J'AI UN COPAIN SUPER-BEAU ...

DONC, MÊME SI J'AI UN NOUVEAU COPAIN À LA SUITE D'UN DUEL, ÇA NE VEUT RIEN DIRE POUR MOI...

J'AI UNE IDÉE !
JE VAIS DANSER
AVEC LUI DANS LA
SALLE DE CLASSE
TRANSFORMÉE
EN DISCO ♡

LA CLASSE
3-B « STEVIE
WONDERLAND »
A L'AIR PAS
MAL AUSSI

AVANT UN
JOUR AUSSI
IMPORTANT

JE NE
VEUX PAS
ME DISPUTER
AVEC YASU

OUI !
DEMAIN,
JE POURRAI
M'AMUSER À LA
FÊTE AVEC LUI,
C'EST CERTAIN !

QUOIIIIIII ?! YASU A DISPARU ?!

CE MATIN, JE L'AI VU. DONC JE PENSE QU'IL EST QUELQUE PART DANS LE LYCÉE, MAIS...

C'EST QUOI, CE BORDEL !

POURQUOI IL S'EST PLANQUÉ... ?!

SHUM SHUM

... DANS UN COIN AVEC DES FILLES... ?!

IL...

IL SERAIT PAS...

J'AI CONFIANCE EN LUI...

PEUT-ÊTRE...

NON...
JE NE L'AI
PAS VU...

NON, NON.
ON NE SAIT
PAS

N'EST-
CE PAS ?

DIS-MOI,
T'AS PAS VU
YASU ?

... QU'IL
DOIT FAIRE
QUELQUE
CHOSE
D'IMPORTANT
QUELQUE
PART

?

TAP

TIP

allez,
on doit se
dépêcher

JE VOULAIS
M'AMUSER
AVEC LUI...

SI TU VEUX,
ON VA VOIR
LA PIÈCE DE
THÉÂTRE, ÇA
TE DIT ?

Avec Wakako-Alice

ON AVAIT
PRÉPARÉ CETTE
FÊTE POUR
S'ÉCLATER
AUJOURD'HUI...

DÉSOLÉE,
JE VAIS LE
CHERCHER
ENCORE
UN PEU

YASU...

H3 SCHOOL - FIN

Titre original :
H3 (Happy Hustle High) School (volume 5)

© 2005 by Rie TAKADA
All rights reserved
Original Japanese edition published in 2005
by **Shogakukan Inc., Tokyo**
French translation rights arranged with Shogakukan Inc.
through The Kashima Agency
© **2007 Editions Kurokawa**, département d'Univers Poche,
pour la traduction française

Collection dirigée par :
Grégoire Hellot

Traduction :
Kayo Chassaigne-Nishino

Adaptation :
Denis Sigal

Lettrage :
Sylvie Naddéo-Deloche

ISBN : 978-2-351-42119-2

Dépôt légal : janvier 2007
Nouveau tirage : août 2007
KUROKAWA - 12, avenue d'Italie - 75627 Paris cedex 13
Imprimé en France par Hérissey